Chile,
Paisajes del Alma

Chile, Paisajes del Alma

Fotografías y texto

Jorge de Amesti Mohr

Con cariño a mi señora Frances Leigh
y a mis hijas Pascal, Noelle y Karla

Chile, Paisajes del Alma
Reservados todos los derechos / All rights reserved
© Jorge de Amesti Mohr
Román Díaz 117, Providencia
Tel: (56 2) 855 3795
paisajes@paisajes.com
www.paisajes.com
Cámaras / Cameras: Mamiya, Pentax
Película / Film: Velvia, Kodachrome

Registro de Propiedad Intelectual: 150.004
I.S.B.N: 956 - 299 - 858 - 4
Segunda Edición Noviembre 2005 / Second Edition November 2005
2.000 ejemplares

Fotografías y texto / Photographs and text: Jorge de Amesti Mohr
Diseño / Design: Josefina Olivos
josefina@netline.cl
Traducción / Translation: Charles Francis King & Marion Nielsen King

Impresión / Printing: Salviat Impresores

Santiago de Chile

Introducción · Introduction

Chile nos presenta una variada paleta climática que en armonioso degradé nos va ilustrando los más increíbles espectáculos de la naturaleza. Su largo y angosto territorio se extiende lleno de anécdotas geográficas que encantan por su belleza. Las heladas aguas del Pacífico bañan las tibias arenas de la costa, mientras la majestuosa cordillera de Los Andes nos enmarca desde las áridas planicies nortinas hasta los densos bosques australes. Toda esta impresionante topografía se conjuga con una gran biodiversidad vegetal plena de matices y contrastes digna de ser inmortalizada.

Sin embargo, recorriendo nuestro vasto territorio a menudo me he sorprendido explicando a mis hijas cómo eran antes algunos de los lugares que hoy visitamos. Otrora maravillosos escenarios naturales, se han convertido en amplios sectores depredados que yacen como mudos testigos de la desolación.

Recorriéndolos con mi cámara, persigo atrapar esos fugaces momentos que los árboles me muestran al dejar pasar los rayos de luz a través de sus ramas.

No quiero andar apurado, no quiero pensar que lo que hoy capta mi cámara, mañana ya no estará más.

Quisiera que las fotografías exhibidas en este libro sean un llamado a detenerse, a contemplar, sentir y valorar la magia de nuestra delicada naturaleza. Una invitación a reencontrarse con los paisajes del alma que cada uno de nosotros guarda en su interior.

Chile presents us with a varied climatic pallet that reveals to us an incredible natural pageant of harmonious tones. Its long and narrow geography is marked by diverse physical features that fascinate us with their beauty. The ice-cold waters of the Pacific Ocean wash upon the warm sands of the seacoast, while the majestic form of the Andes extends from the arid plains of the north to the thick forests of the south. This impressive landscape translates into a floral biodiversity crowded with shades and contrasts worthy of immortalization.

Nevertheless, in travelling extensively along this territory, I have frequently surprised myself trying to explain to my daughters what this scenery looked like in the past. Once marvellous vistas have been converted into vast desolate areas that remain mute witnesses of that devastation.

Journeying through there with my camera lens, I try to capture those fleeting moments that are revealed to me as the trees permit the passage of rays of light through their branches.

I try not to feel rushed, nor do I want to think that that which my camera will capture today, tomorrow no longer will be.

Hopefully the photographs exhibited in this work will act as a call for us to linger, to contemplate, to sense and value the magic found in this delicate nature. Take this as an invitation to renew contact with those landscapes of our souls that each of us keeps deep within us.

Jorge de Amesti Mohr

Zona Norte · Northern Region

Comenzando por el norte y considerada una de las zonas más áridas del planeta, el Desierto de Atacama se extiende en toda su magnificencia, pareciendo cubrir con un gran manto de misteriosa tranquilidad y silencio toda forma de vida aparente. Con este panorama y casi imperceptiblemente, empiezan a teñirse de un tímido verde algunas laderas de cerros, bordes costeros y alturas altiplánicas. Estas franjas de vegetación natural se pueden desarrollar en condiciones muy extremas, dándonos una lección de gran generosidad al albergar en sus hojas y raíces a diversas especies animales.

Luego de viajar por una pampa que parece infinita, los colores tierra de cerros y planicies comienzan a variar sus tonos para dar cabida a una mayor biodiversidad.

Los paisajes del Norte Chico, producto de una temperatura y humedad más amigables, nos sorprenden con su ingenio para cautivar el agua en vegetales de escultóricas formas. En épocas de precipitaciones, estas cactáceas son invadidas por el milagro de las flores, exponiendo al mundo un espectáculo único que cubre grandes extensiones de tierra desértica con una alfombra de aromas y colores. Es el fenómeno del Desierto Florido.

Espero que en estas fotografías se haya plasmado la increíble sensación que produce el sentirse parte de estos extraordinarios parajes naturales.

Starting from the north, a region considered one of the most arid on earth, the Atacama Desert extends in all magnificence, giving the impression of an immense mantle of mysterious tranquility covering all apparent life forms. Upon this panorama, almost imperceptibly, green tones begin to timidly appear on the hillsides, coastal areas and high plateaus. These hints of vegetation may develop under extreme conditions, giving us a lesson in generosity, as their leaves and roots house a variety of species from the animal kingdom.

After travelling the length of an apparently never ending pampa, the earth colored hills and plains begin to give way to a variety of tones, revealing a greater biodiversity.

The scenery of the region called "Norte Chico" (southern extremity of the northern region), which is the result of friendlier temperatures and humidity, impresses us with its ingenuity by capturing moisture in its specially sculptured shapes. During those periods of precipitation these cacti are overwhelmed by an invasion of flowers, displaying to the world a unique spectacle covering large areas of the desert with a carpet of aromas and colors. It is the phenomenon of the Flowering Desert.

Hopefully these photographs have given expression to those wonderful sensations we feel within us as we become one with these extraordinary natural sites.

9

Dunas, Huasco
Sand dunes, Huasco

10

Doña Carmen, Pica

Lago Chungará, Parque Nacional Lauca

Chungará Lake, Lauca National Park

12

Guanaco, Parque Nacional Lauca
Guanaco, Lauca National Park

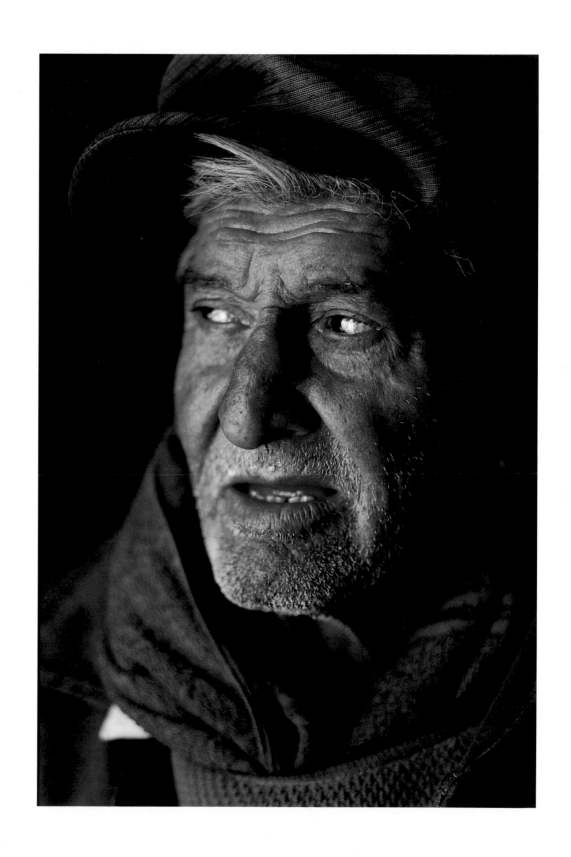

Don Policarpo, Calama

13

14

Doña Margarita, Aiquina

Casa de adobe, Tal Tal
Adobe house, Tal Tal

15

16

Chungungo

Desierto florido, Parque Nacional Fray Jorge
Flowering desert, Fray Jorge National Park

18

Cordillera de la Sal, San Pedro de Atacama

Valle de la Luna, San Pedro de Atacama

20

Desierto florido, Caldera
Flowering desert, Caldera

Padre e hijo, Chañaral
Father and son, Chañaral

22

Moai, Rapa Nui

Tucki Tepano, Rapa Nui

23

26

Desierto florido, Carrizal Bajo
Flowering desert, Carrizal Bajo

Abuela Rosa, Vicuña
Grandmother Rosa, Vicuña

25

26

Geisers El Tatio
El Tatio Geysers

Valle de la Luna, San Pedro de Atacama

28

Corral de animales, Peine
Farmyard, Peine

Silvestre, Caspana

29

30

Puerto Viejo

Valle de la Muerte
San Pedro de Atacama

31

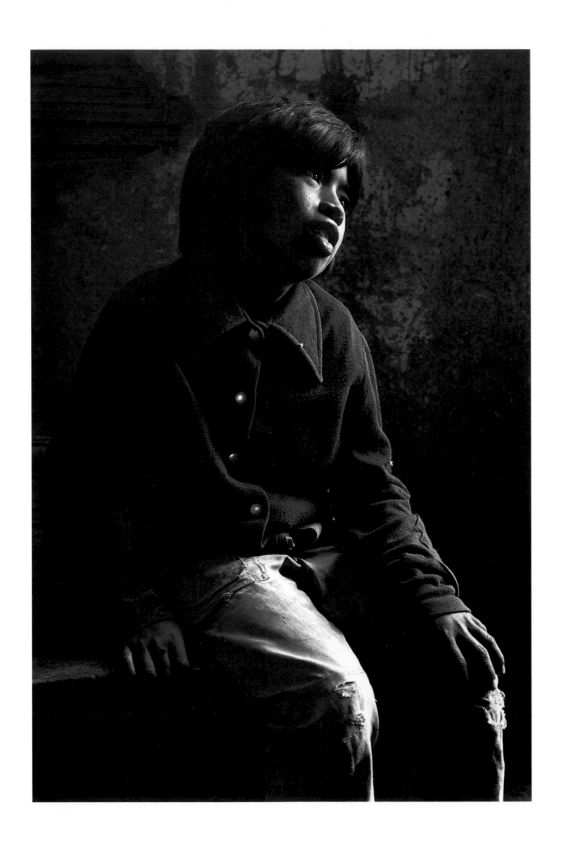

32

Manuel, Chañaral

Desierto florido, Totoral
Flowering desert, Totoral

34

Costa, Rapa Nui
Seaside, Rapa Nui

Ahu Tahai, Rapa Nui

36

La gaviota, Bahía de Tongoy
The seagull, Bahía de Tongoy

Pincelada de luz, Punta de Choros
Brush stroke of light, Punta de Choros

38

Atardecer, La Serena
Dusk, La Serena

Juanito, Combarbalá

40

Desierto florido, Fray Jorge
Flowering desert, Fray Jorge

Algarrobo, Paposo
Carob tree, Paposo

44

Atardecer, Parque Nacional Pan de Azúcar
Dusk, Pan de Azúcar National Park

Salar de Atacama

45

Flores silvestres, Caleta Sarco
Wild flowers, Caleta Sarco

Desierto florido, Copiapó
Flowering desert, Copiapó

46

Valle de la Luna, San Pedro de Atacama

Farellones de Tara, San Pedro de Atacama
Tara Cliffs, San Pedro de Atacama

48

Amanecer, Punta Cachos
Dawn, Punta Cachos

El ermitaño, Domeyko
The hermit, Domeyko

49

50

Algas, Caldera
Seaweed, Caldera

Camanchaca, Parque Nacional Fray Jorge
Fog "Camanchaca", Fray Jorge National Park

Zona Central · Central Region

Cuenta la historia que en la zona central de nuestro país, los pueblos aborígenes vivían a orillas de los ríos y disfrutaban de densos bosques siempre verdes. Se alimentaban de los cocos que caían de extensos palmares autóctonos y majestuosas roblerías en alturas parecían coronar este idílico paisaje.

Hoy ciertamente que esta situación ha cambiado. Su clima benigno y suelos fértiles hicieron de esta región el enclave perfecto para la formación de asentamientos humanos, transformando el entorno existente en lo que podemos ver hoy.

Con sus ríos y bosques domesticados, la región pareciera querer defenderse del avance de su vecina extensión semidesértica que acecha por el norte.

Sin embargo, aún es posible encontrar en algunos sectores occidentales de la cordillera de la costa, maravillosos bosquetes de peumos, bellotos y canelos. También la precordillera andina nos sorprende con grandes quillayes que comparten su hábitat con el olivillo y el roble.

En primavera, el verde de las hierbas se entrelaza con el amarillo de los espinares que abundan en las planicies del valle central y el dulce aroma de sus flores lo inunda todo. Inunda también mi cámara, mi espíritu, mi alma.

The story is told that in the central region of this country, its original inhabitants lived along the edges of rivers that ran through thick green forests. These native inhabitants were known to eat coconuts that fell from palm trees. Even the heights of this idyllic countryside appeared to have been crowned by forests of oaks.

This situation has quite changed today. Its benign climate and fertile soil has made this region the perfect place for human settlement, thus transforming the surrounding area into what we can see it has become today.

In spite of the domestication of the rivers and forests, the region continues to give the impression of wanting to protect itself from any encroachment by the neighboring semi-desert trapped in the north.

Nevertheless, it is still possible to find in some parts of the western coastal mountains, wonderful groves of peumo, belloto and canelo trees. Also these pre-Andean slopes surprise us with their immense quillaye trees which share their habitat with the olivillo and oak trees.

In the springtime, the green of the grasses is interwoven with the yellows of the thorn bushes that are found in abundance on the plains of the central valley region, a region immersed in the sweet aroma of flowers overwhelming my camera, my spirit, my soul.

53

Cajón del Enemigo

54

Roqueríos, Topocalma
Rockeries, Topocalma

Cactus, Los Molles

56

Anochecer, Parque Nacional El Morado
Nightfall, El Morado National Park

Quebrada, Reserva Nacional Altos de Lircay
Gorge, Altos de Lircay National Reserve

58

Casa antigua, Los Andes
Old house, Los Andes

Don Olegario, Chanco

59

60

Don Julio, Valparaíso

Casa de adobe, Putaendo
Adobe house, Putaendo

62

Reserva Nacional Los Huemules
Los Huemules National Reserve

Bosque de robles, Río Achibueno
Oak forest, Achibueno River

64

Caída de agua, Río Ancoa
Waterfall, Ancoa River

Rayo de luz, Reserva Nacional Altos de Lircay
Ray of light, Altos de Lircay National Reserve

66

Reserva Nacional Siete Tazas
Siete Tazas National Reserve

Otoño, San Fabián de Alico
Autumn, San Fabián de Alico

68

Invierno, Bullileo
Winter, Bullileo

Piedras en el mar, Curanipe
Boulders in the sea, Curanipe

69

70

Rocas, Matanzas
Rocks, Matanzas

Don Genaro, Constitución

71

72

Río Claro, Molina
Claro River, Molina

Eucaliptos, Cauquenes
Eucalyptus, Cauquenes

74

Los Rueñes

Reserva Nacional Los Bellotos
Los Bellotos National Reserve

76

Bosque, Reserva Nacional Siete Tazas
Forest, Siete Tazas National Reserve

Punta Pite

78

Don Olegario, Chanco

Bosques, Termas de Chillán
Forest, Termas de Chillán

79

80

Monte Oscuro

Don Julio, Valparaíso

81

82

Invierno, El Melado
Winter, El Melado

Bosque de robles, Río Achibueno
Oak forest, Río Achibueno

84

Otoño, Reserva Nacional Ñalcas
Autumn, Ñalcas National Reserve

Atardecer, Ralco
Dusk, Ralco

86

Volcán San José, Cajón del Maipo
San José Volcano, Cajón del Maipo

Después de la tormenta, Reserva Nacional Río los Cipreses
After the storm, Río los Cipreses National Reserve

Rosa mosqueta, Sierra Bellavista
Globe flowers, Sierra Bellavista

Casa de adobe, Melipilla
Adobe house, Melipilla

90

Flores silvestres, Reserva Nacional Los Ruiles
Wild flowers, Los Ruiles National Reserve

Don Pedro, Concepción

Zona Sur · Southern Region

Recuerdo que de niño, durante los veranos, salíamos de vacaciones al sur de Chile. La luz prístina y transparente de sus bosques hacía resplandecer un verde exuberante que me maravillaba. No obstante, el sur que yo conocí no puedo mostrárselo a mis hijas, así como tampoco pude conocer aquel sur donde nació mi madre, cuando el agua en verano no faltaba.

Hoy sigo fascinándome con los parques nacionales y bosques autóctonos de nuestro país, pero debo buscar con más ahínco las áreas silvestres que antaño aparecían espontáneamente por doquier.

Estos bosques nativos, que se repliegan cada vez más hacia el sur, son una valiosa herencia de nuestra naturaleza, una joya que ha logrado sobrevivir en el tiempo gracias al perfecto equilibrio entre la flora y fauna que lo componen. La biodiversidad, inestimable fortaleza de los bosques templados lluviosos del sur de Chile, permite que muchas especies distintas compartan en armonía un mismo hábitat, formando ecosistemas muy escasos que los convierten en una reserva vegetal única en el mundo. Interactuando entre sí de innumerables maneras, entramadas especies forman rincones mágicos que sólo parecen haber sido creados para reconfortarnos y deleitarnos con su belleza.

Acompañado del ruido de las hojas secas que chasquean con mi caminar, el sonar de algún estero o del canto del chucao, la sensación calma y apacible que estos bosques me provocan, reconfortan mi alma, calman mi espíritu y me hacen sentir pleno.

I recall, while still a boy, during the summer season, leaving on vacation to the south of Chile. The pristine and transparent light of its forests glowed a rich green that fascinated me. However the south that I knew I can no longer show to my daughters, even as I can no longer see for myself the south where my mother was born, a time when there was no lack of moisture, not even in the summer.

Today I continue to be fascinated by the national parks and forests native to this country, but now I need to search with more assiduity that wilderness that anciently appeared so spontaneously at any moment, anywhere.

These native forests, which are receding further and further south, are a valued inheritance offered to us by nature, a jewel that has managed to survive so far thanks to a perfect balance between the flora and fauna that are a part of it. Biodiversity, and the wonderful strength of the rain forests of the south of Chile, allow the many different species to live in harmony, thus forming rare ecosystems that convert these areas into a reserve of vegetation unique in the world. With innumerable forms interacting among themselves, these interwoven species fashion magical corners that appear to have been created to comfort and please us with their beauty.

Accompanied by the sound of dry leaves rustling under my feet as I walk, or the sound of a brook, or the singing of the chucao bird, the calm and peaceful sensation emanating from these forests, brings comfort to my soul, brings peace to my spirit, and helps me to feel fulfilled.

Saltos del Huilo Huilo
Huilo Huilo Falls

93

96

Arriero, Puerto Octay
Herdsman, Puerto Octay

Cuernos del Paine, Parque Nacional Torres del Paine
Cuernos del Paine, Torres del Paine National Park

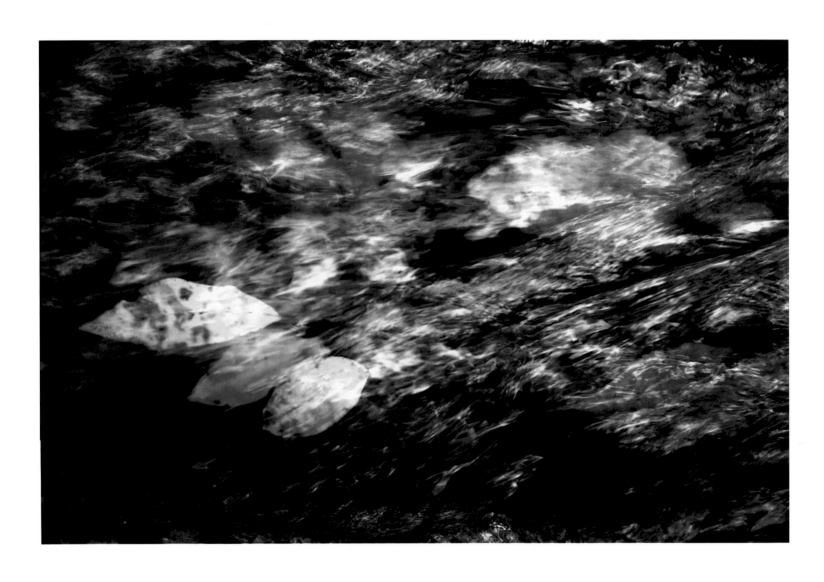

96

Hojas de otoño, Río Biobío
Autumn leaves, Biobío River

Sutilezas del color, Parque Nacional Villarrica
Subtleties of color, Villarrica National Park

98

Neblina matinal, Parque Nacional Puyehue
Morning mist, Puyehue National Park

Renovales del bosque,
Lonquimay
Young oak trees,
Lonquimay

99

100

Don Isidoro, Osorno

Parque Nacional Pali-Aike
Pali-Aike National Park

102

Parque Nacional Torres del Paine
Torres del Paine National Park

Playa Santa Bárbara, Chaitén
Santa Bárbara Beach, Chaitén

104

Futaleufú

Doña Marta, Chiloé

106

Después de la lluvia, La Tapera
After the rain, La Tapera

Otoño, cuesta Las Raíces
Autumn, Las Raíces slope

Adela, Estancia Río Penitente, Punta Arenas
Adela, Río Penitente Ranch, Punta Arenas

Pescador, Puerto Montt
Fisherman, Puerto Montt

109

110

Estero, Río Futaleufú
Stream, Futaleufú River

Parque Nacional Laguna San Rafael
Laguna San Rafael National Park

112

Los árboles y la laguna, Parque Nacional Conguillío
The trees and the lagoon, Conguillío National Park

Bosque quemado, Melipeuco
Burnt forest, Melipeuco

Parque Nacional Vicente Pérez Rosales
Vicente Pérez Rosales National Park

Gotas de lluvia, Parque Nacional Nahuelbuta
Raindrops, Nahuelbuta National Park

Reserva Nacional Cerro Castillo
Cerro Castillo National Reserve

Campesino, Coyhaique
Peasant, Coyhaique

117

Parque Pumalín
Pumalín Park

Reserva Nacional Lago las Torres
Lago las Torres National Reserve

120

Bosque nativo, Parque Nacional Torres del Paine
Native forest, Torres del Paine National Park

Don Efrain, Temuco

122

Esculturas de río, Lago Ranco
River sculptures, Ranco Lake

Amanecer, Parque Nacional Villarrica
Dawn, Villarrica National Park

124

Campo de Hielo San Valentín, Parque Nacional Laguna San Rafael
San Valentín Ice Field, Laguna San Rafael National Park

Parque Nacional Puyehue
Puyehue National Park

126

Capilla de Mármol, Lago General Carrera
Capilla de Mármol, General Carrera Lake

Parque Pumalín
Pumalín Park

Reserva Nacional Coyhaique
Coyhaique National Reserve

Laguna Galletué
Galletué Lagoon

130

Arancarias, Parque Nacional Conguillío
Arancarias, Conguillío National Park

Neblina en el bosque, Parque Nacional Laguna del Laja
Mist in the forest, Laguna del Laja National Park

132

Lengas, Parque Nacional Torres del Paine
Lengas, Torres del Paine National Park

Playa Santa Bárbara, Chaitén
Santa Bárbara Beach, Chaitén

134

Reserva Nacional Cerro Castillo
Cerro Castillo National Reserve

Lago Sarmiento, Parque Nacional Torres del Paine
Sarmiento Lake, Torres del Paine National Park

136

Puerto Ingeniero Ibañez

Laguna Cofré
Cofré Lagoon

138

Parque Nacional Ruenlat
Ruenlat National Park

Cuernos del Paine

140

Parque Nacional Huerquehue
Huerquehue National Park

Parque Nacional Ruenlat
Ruenlat National Park

142

Atardecer, Chiloé
Dusk, Chiloé

Laguna Amarga, Parque Nacional Torres del Paine
Laguna Amarga, Torres del Paine National Park

www.paisajes.com